Colección
AVENTURAS para 3

El secreto de la cueva

1

ÍNDICE

CAPÍTULOS

Capítulo 1 .... p. 7
Vacaciones de Semana Santa: un viaje en tren.

Capítulo 2 .... p. 12
Llegada a Paredes de Monte: la casa de los abuelos.

Capítulo 3 .... p. 17
¿Qué abre esta llave?

Capítulo 4 .... p. 23
Primera noche en Paredes.

Capítulo 5 .... p. 26
Los tres, Bruno *y* Trisca *buscan la bodega.*

Capítulo 6 .... p. 31
¡La bodega al fin!

Capítulo 7 .... p. 35
Segunda visita a la bodega: más tesoros.

Capítulo 8 .... p. 41
Más, *el gato detective.*

GLOSARIO .... p. 48

GUÍA DE LECTURA .... p. 58
— Comprensión lectora.
— Usos de la lengua.

Los protagonistas

Andrés

Primo de Juan (los padres de Juan y Andrés son hermanos) y amigo de Rocío. Es delgado, no muy alto. Es serio, tranquilo, calculador y tiene un gran sentido de la orientación. Le encantan los ordenadores y la informática. Estudia en el colegio San José[1], de jesuitas, en Valladolid. Su padre, *Martín*, es biólogo. Su madre, *Laura*, es diseñadora de moda.

Juan

Primo de Andrés. Es muy amigo de Rocío. Es alto, fuerte y muy ágil. Tiene un carácter alegre e impulsivo y no tiene sentido de la orientación. Estudia en el instituto Zorrilla. Su padre, *Esteban*, es profesor de Educación Especial. Su madre, *Carmen*, es fisioterapeuta.

Rocío

Es muy amiga de Juan desde la escuela primaria y ahora estudian en el mismo instituto. Es alta y delgada, de aspecto frágil. Es imaginativa y le gusta la magia y la aventura. Su padre, *Fernando*, trabaja en un banco. Su madre, *Inés*, es veterinaria.

---

[1] En España, en la enseñanza privada se estudia en un colegio desde los 6 años a los 18. Es decir, desde 1.º de Educación Primaria hasta 2.º de Bachillerato. En la enseñanza pública se estudia en un *colegio* la Educación Primaria. Y después se estudia en un *instituto*.

Descubre España

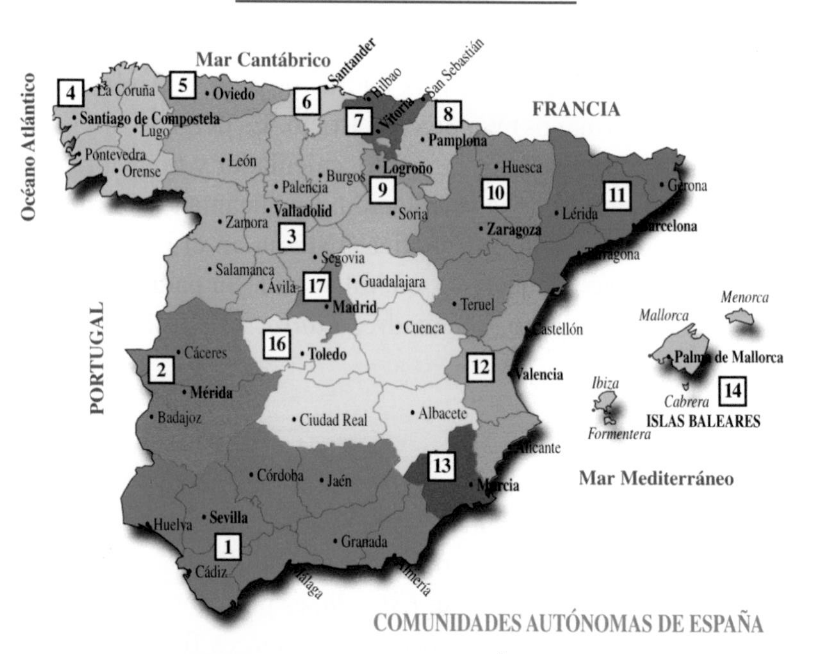

COMUNIDADES AUTÓNOMAS DE ESPAÑA

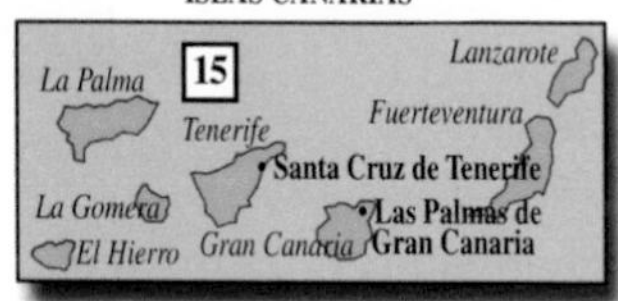

1. ANDALUCÍA: capital, **Sevilla.**
2. EXTREMADURA: capital, **Mérida.**
3. CASTILLA Y LEÓN: capital, **Valladolid.**
4. GALICIA: capital, **Santiago de Compostela.**
5. PRINCIPADO DE ASTURIAS: capital, **Oviedo.**
6. CANTABRIA: capital, **Santander.**
7. PAÍS VASCO: capital, **Vitoria.**
8. NAVARRA: capital, **Pamplona.**
9. LA RIOJA: capital, **Logroño.**
10. ARAGÓN: capital, **Zaragoza.**
11. CATALUÑA: capital, **Barcelona.**
12. COMUNIDAD VALENCIANA: capital, **Valencia.**
13. REGIÓN DE MURCIA: capital, **Murcia.**
14. ISLAS BALEARES: capital, **Palma de Mallorca.**
15. ISLAS CANARIAS: capitales, **Las Palmas de Gran Canaria** y **Santa Cruz de Tenerife.**
16. CASTILLA-LA MANCHA: capital, **Toledo.**
17. MADRID: capital, **Madrid**. (**Capital de España**).

Ciudades autónomas

- Ceuta
- Melilla

El lugar de la aventura

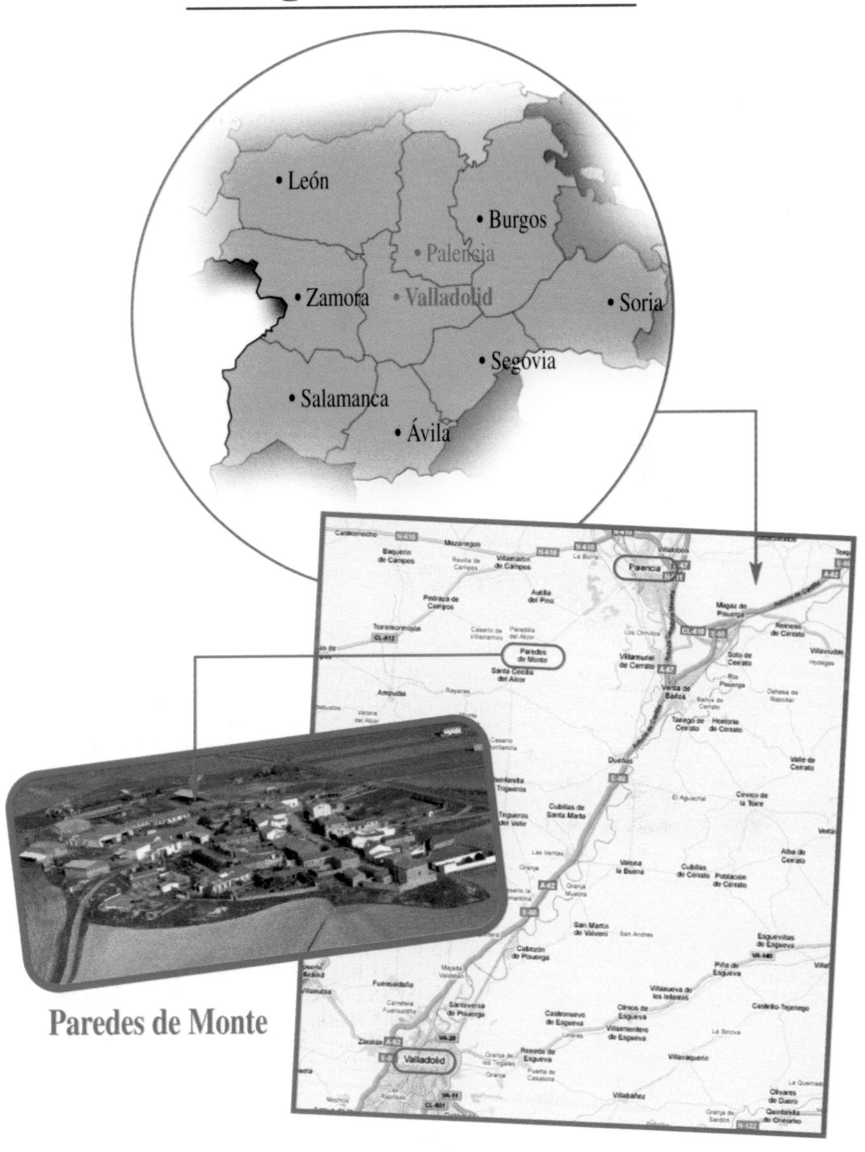

Paredes de Monte

capítulo 1

Vacaciones de Semana Santa: un viaje en tren

(Andrés, Juan y Rocío van a pasar unos días de vacaciones en casa de los abuelos de Andrés y Juan. Los abuelos viven en un pueblo, Paredes de Monte, que está en Palencia[2], cerca de Valladolid. Andrés y Juan esperan a Rocío en la Plaza Mayor de Valladolid[3]).

—Vamos a llegar tarde a la estación y vamos a perder el tren.
—Tranquilo, Andrés. Rocío es muy puntual.
—Mira, allí viene.

---

[2] Es una ciudad española de la Comunidad de Castilla y León. Tiene aproximadamente 82.300 habitantes.

[3] Es la capital de la Comunidad de Castilla y León. Tiene 320.000 habitantes aproximadamente. Capital del Imperio español en el siglo XVII. Su centro histórico es muy interesante.

Rocío llega a la Plaza Mayor. Saluda a sus amigos:

Plaza Mayor de Valladolid

—Hola, chicos, buenos días. 10
—Hola— le contestan.
—¡Siempre con ropa de color negro! —dice Andrés—. Pero, Rocío, ¡que vamos de vacaciones!
—A mí me gusta el negro, ya lo sabes. 15 Si no queréis, no voy.
—¡Ya empezamos!
—Tranquilos, chicos. ¡Estamos de vacaciones y el pueblo nos espera! —comenta Juan.
—Eso es, al pueblo… mis padres dicen que tengo mala cara y 20 que el aire del campo es muy bueno para la salud —dice Rocío.
—¡Claro! Es que estás un poco delgada y allí vamos a comer muy bien, ¿verdad, Andrés?
—Sí, claro, respirar aire puro está bien, pero en los pueblos no 25 se puede hacer nada —dice Rocío.
—Es verdad que en el pueblo no hay coches, ¡ni contaminación!, como en Valladolid, pero también hay muchas cosas —dice Andrés.
—¿Por ejemplo? 30
—Por ejemplo, una iglesia del siglo XII.
—¡Vaya cosa! En Valladolid también hay muchas iglesias.
—Ya, pero esta es muy antigua, es de estilo románico[4].
—¿Y…?
—Bueno, bueno, ya sé que no te interesa el arte, pero a mí sí. 35

[4] En la provincia de Palencia hay una importante «ruta del arte románico». En muchos pueblos hay hermosas iglesias de este estilo.

—Venga[5], coged las mochilas y vámonos —dice Juan. Pero ¿qué llevas ahí, Rocío?
—Pues un bocadillo para el viaje y un regalo para vuestros abuelos.

Una mochila

40 Llegan a la estación de Campo Grande, en Valladolid, y suben al tren.

Estación de tren de Campo Grande

—¿Estáis seguros de que viene vuestro abuelo a buscarnos?
—Pues sí, y si no hay nadie en la esta-
45 ción, vamos a pie —propone Juan.
—¿A pie al pueblo? ¿A cuántos kilómetros de Palencia está? —pregunta Rocío.
—Solo a 12.
50 —¡Si vamos a pie, podemos tener alguna aventura! —exclama Juan.
—Mira, Juan, otra aventura no, gracias.

El tren pasa por campos y más campos. No se ve a nadie. Rocío come el bocadillo y habla con Andrés. Juan duerme.

55 —Me gusta ver la naturaleza y esta tranquilidad —dice Andrés.
—No sé qué vamos a hacer tantos días en un pueblo. No podemos ir al cine, ni a la piscina.
—Podemos ir a pescar.
—Pero ¿hay río?

[5] Expresión que se usa para invitar a alguien a hacer algo.

—Pues… no me acuerdo muy bien porque no vengo mucho. 60
—Dicen que la gente vive muy feliz en el campo. Y que viven muchos años. Tus abuelos, ¿cuántos años tienen? —pregunta Rocío.
—¡Puf!, no sé, muchos y siempre están trabajando. Se ocupan del campo, de los animales… 65
—¡Ah! ¿Tienen caballos? A mí me encantan los caballos.
—Creo que no.

El paisaje cambia. El tren empieza a frenar. Se ven casas. Juan se despierta.

—Estamos llegando a Palencia. ¿Qué les voy a decir a vuestros abuelos? —pregunta Rocío un poco nerviosa. 70
—Pues nada especial —la tranquiliza Juan.

Los tres bajan del tren. En la estación hay mucha gente.

—Juan, ¿ves a los abuelos?
—Hay mucha gente. No veo a los abuelos. Creo que no están. 75
—Vamos hacia la salida, allí hay menos gente y es más fácil vernos —decide Andrés.

En la puerta de la estación está el abuelo.

—¡Hola, hijos!, ¿qué tal el viaje?
—¡Abuelo! —Andrés le da un beso. 80
—¡Hola, abuelo! ¡Qué alegría verte! ¿Y la abuela? —dice Juan.
—Yo también estoy muy contento de veros. La abuela está en casa preparando la comida. Y tú eres Rocío, ¿no? Bienvenida.

Don[6] Pedro le da dos besos y añade:

85 —¡Eres una chica muy guapa, pero vas a tener mucho calor con esa ropa! ¡Hale[7], vamos al coche!

[6] «Don» es una fórmula de tratamiento cortés para dirigirse a un hombre. Va delante del nombre.
[7] Expresión que se usa para invitar a alguien a hacer algo.

Capítulo 2

Llegada a Paredes de Monte: la casa de los abuelos

Salen de la estación. Andan un poco. El abuelo abre un coche viejo y sucio. 1

—Vamos, chicos, ¡a Paredes! —dice el abuelo con alegría. No le gustan las ciudades y quiere salir de Palencia rápidamente.

Una señal

Por el camino hablan del paisaje. 5

—¡Qué bonito es esto!, ¿verdad, abuelo? —dice Juan.
—Muy bonito, sí —dice el abuelo, orgulloso.

Por fin aparece una señal: Paredes de Monte. Una carretera estrecha conduce al pueblo.

Es un pueblo pequeño con una calle principal y una plaza. Muchas casas están cerradas. Otras parecen abandonadas. Al final de la calle se ve la impresionante iglesia de Santiago Apóstol. Delante de la iglesia hay una gran cruz de piedra. No se ve a nadie. A los chicos les parece el fin del mundo.

Paredes de Monte

El abuelo para el coche y grita contento:

—¡Venga, abajo! Ahí está la abuela.

La iglesia de Paredes de Monte

Delante de la puerta de una casa, una señora sonríe, les saluda con la mano y se acerca a ellos.

—¡Abuela Cecilia! —grita Andrés.

—¡Ya están aquí los de Valladolid! —dice ella muy contenta.

Andrés y Juan la abrazan a la vez. Rocío los mira un poco triste. Ella no tiene abuelos.

—Te llamas Rocío, ¿verdad?, ¡dame un beso! —dice la abuela.

La abuela está emocionada de ver a sus nietos.

—Bueno, bueno, ya está bien, vamos dentro, a comer. Los viajes dan hambre —dice el abuelo.

Los chicos cogen las mochilas y siguen a la abuela. Entran a la cocina. Una cocina muy grande, con una chimenea en el centro.

—Qué, ¿te gusta nuestra cocina? —pregunta el abuelo a Rocío. 35
—Sí, mucho —responde Rocío.
—Yo pongo la mesa —dice la abuela— y vosotros os laváis las manos. Hay un cuarto de baño abajo y otro arriba. Pedro, acompáñalos, por favor. Después de comer podéis llevar vuestras cosas a las habitaciones. 40

Sopa castellana

La abuela se mueve mucho y habla muy alto. Rocío piensa que está nerviosa y un poco sorda.

—Cecilia, ¿qué hay para comer? —pregunta el abuelo. 45

Torrijas

—Pues de primero sopa castellana[8]; de segundo, chuletas de cordero con patatas fritas y, de postre, torrijas[9], claro. 50

—¡Mmm, qué bueno! —exclama Juan, que siempre tiene hambre.

Andrés es diferente de su primo.

[8] La sopa castellana tiene pan, huevo, ajo y pimentón.

[9] Las torrijas son un postre típico español de Semana Santa. Es pan que se pone en leche con azúcar y canela, se pasa por huevo y se fríe.

—Eso es mucho, abuela.

55 —¡A comer! —dice la abuela—. Está muy bueno, es de pueblo, como decís en la ciudad. Allí no es igual. Aquí todo es más natural y se come más.

Chuletas con patatas

El abuelo se ríe y corta el pan. Todos
60 comen con apetito. Rocío come poco.

—Niña, tú no estás comiendo nada. Y estás muy delgada —le dice doña[10] Cecilia.

—Es por el bocadillo del tren —contesta tímidamente Rocío.

—Hija[11], eso no es nada. Pero, bueno, aquí en el pueblo con el
65 aire tan puro y con los paseos que vais a dar, vais a tener mucha hambre.

Durante la comida los abuelos hablan de Valladolid y de su Semana Santa[12] tan bonita. Los chicos dicen
70 que prefieren estar en el pueblo con ellos y don Pedro y doña Cecilia se ponen muy contentos. Después de comer van a las habitaciones. Hay muchas en un pasillo muy grande. La
75 abuela va abriendo las puertas de cada habitación.

Semana Santa

[10] «Doña» es una fórmula de tratamiento cortés para dirigirse a una mujer. Va delante del nombre.

[11] Expresión coloquial de tipo exclamativo.

[12] La Semana Santa de Valladolid, especialmente la procesión del Viernes Santo, es una de las principales fiestas culturales, religiosas y de atracción turística. La Semana Santa vallisoletana es silenciosa y solemne. En Andalucía es más alegre.

—Parece un hotel —dice Juan.
—Sí, tienes razón —la abuela se ríe—. Es que es la casa familiar y nosotros somos una familia numerosa —explica la abuela a Rocío.
—Ya está, yo elijo esta habitación. Y vosotros al lado, ¿vale? —dice Rocío. 80

Dejan las mochilas en la habitación y miran por la ventana.

—Bueno, ¿qué os parece si vamos a conocer el pueblo? —propone Andrés.
—¡Genial! —responden Juan y Rocío. 85

Dejan la mochila en la habitación y miran por la ventana

Capítulo 3

¿Qué abre esta llave?

1 Los chicos se pasean por el pueblo.

Algunas casas están habitadas. Pero otras parece que están abandonadas.

—¿Por qué no entramos en una de esas casas? —pregunta 5 Rocío.

Entonces aparece un enorme perro negro que se pone delante de ellos. Tiene la boca abierta y enseña los dientes.

—Ahí viene otro —dice Andrés.

Otro perro igual, pero de color blanco, se sube a una piedra 10 y los mira fijamente.

—Tranquilos —dice Juan en voz baja.

Andrés busca con los ojos algo para defenderse, pero no se mueve. El perro negro da un paso adelante.

—¡Tranquilos! —dice con energía Juan.

Se oye una voz de mujer y los dos perros miran hacia la izquierda. 15

—¡*Bruno, Trisca,* tranquilos, tranquilos! Son nuestros amigos de Valladolid.

Una señora sale de una casa. Es la dueña de los perros.

—Buenas tardes, ¿tenéis miedo? 20
—No, nooo, ¡claro que no! —responden los chicos.
—Estos perros son muy buenos.

La mujer pasa la mano sobre la cabeza de sus perros. Estos mueven el rabo. Luego van a olfatear a los chicos que ya están más tranquilos. 25

—¿Veis?, ya sois amigos —dice la señora—. Van a estar muy contentos con vosotros. No hay jóvenes en este pueblo para jugar.
—Sí, sí, y además así tenemos protección —añade Rocío.

Los chicos deciden continuar su camino con los perros. Se paran delante de la cruz de la iglesia. Se sientan y juegan con sus nuevos compañeros. 30

—Una foto, una foto —pide Rocío—. Espera, con un perro a cada lado.

Entre foto y foto los chicos pasan el tiempo con sus nuevos amigos.

—Voy a poner esta foto en el escritorio de mi ordenador —dice Andrés y se la enseña a Rocío y a Juan.

No muy lejos ven una casa abandonada.

—Mirad, esa casa está abandonada. ¿Por qué no vamos a ver qué hay dentro?

Los dos perros parece que entienden las palabras de Rocío y se dirigen hacia la casa. Los tres se levantan y siguen a los perros.

Casa abandonada

—Tenemos unos excelentes guías.
—¡A ver qué encuentran!

La puerta de la casa está cerrada. Ya no se ve a los perros. Rocío los llama:

—*¡Bruno, Trisca!*
—Están dentro.
—Pues, si ellos están dentro, seguro que nosotros también podemos entrar. Tiene que haber algún agujero. ¡Vamos!

Dan la vuelta a la casa y, en efecto, ven un agujero en la pared. Andrés saca una linterna del bolsillo y mira dentro. 55

—Vamos a ver qué descubrimos.

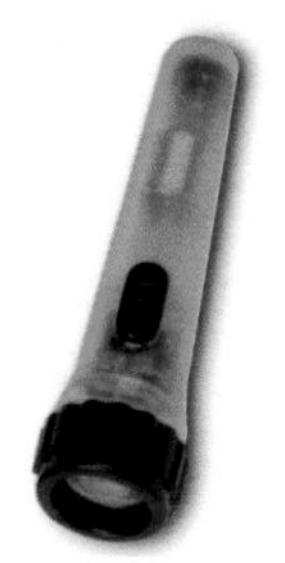

Una lintena

Uno a uno, los tres chicos entran en la casa. Llegan a una habitación muy sucia y llena de muebles viejos. Por una ventana pasa un poco de luz. Los perros van y vienen de un lado a otro. 60

—Oye —dice Juan—, ¿vamos arriba? 65
—No —responde Andrés—, mejor examinamos primero la parte de abajo y mañana, con más luz, subimos a la parte de arriba.

Los perros siguen nerviosos los movimientos de los chicos. Pero *Bruno* empieza a ladrar y Andrés corre hacia él. 70

—Mirad, una rata. Es muy grande.
—Vámonos, vámonos ya, ¡ratas!, ¡qué horror! —grita Juan.
—No vas a tener miedo de una rata, ¿no? —le dice Andrés con tono protector.
—Oye, Juan, ¿tú crees que esta casa es de alguien? 75
—Sí, es de un fantasma. ¡Una casa encantada! —grita Rocío.

Una rata

—¡Uf!, ¡qué imaginación! No sé, ahora no pertenece a nadie —responde Andrés.

—Pues si no es de nadie, puede ser para nosotros —dice Juan.

—¡Qué tonterías dices! Anda, vamos a quitar estas cosas de aquí. Allí al fondo veo un armario —dice Andrés.

Entre los tres quitan las cosas y se acercan al armario. Con dificultad lo abren y encuentran una caja. Está llena de papeles de periódico.

—Andrés, corre, trae la linterna para ver mejor.

—Sí, ya voy.

—Mirad —dice Rocío con sorpresa—, aquí hay una llave con una etiqueta.

—¿Y qué pone?

—A ver... Bo–de–ga. ¡Es la llave de una bodega!

—¿Una bodega? ¿Donde guardan el vino?

—Puede que sí.

—¿Qué os parece si buscamos esa bodega?

Una llave con una etiqueta

Rocío pone la llave en las narices de los perros y dice:

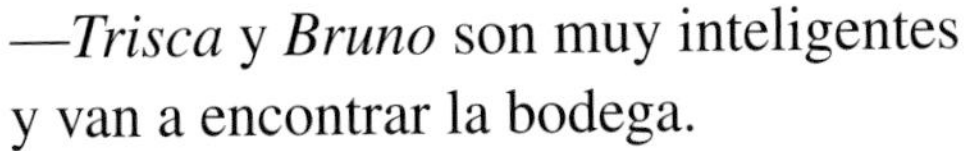

—*Trisca* y *Bruno* son muy inteligentes y van a encontrar la bodega.

—Es imposible. Aquí debajo no hay ninguna bodega.

—¡Tú qué sabes, Andrés! En el suelo puede haber un agujero para bajar a la bodega —dice Juan.

—Sí, puede ser, pero para encontrarlo tenemos que mirar bien por toda la casa —añade Rocío.

—Además, tenemos una llave y, si hay una llave, hay una puerta —insiste Juan.
—Bueno, venimos mañana de día y así vemos mejor el suelo. Ahora va a ser de noche y mi linterna está descargada.
—Sí, y hace un poco de frío, yo tengo frío —dice Rocío abrazando a *Bruno*.
—Es porque comes poco, ¿no crees, Juan?
—Buah, ya empezamos otra vez con la comida.

Salen por el mismo agujero. Y van hacia la casa de los abuelos con los perros.

—¡Qué contentos estáis!, ¿eh? —dice Rocío que les pasa la mano por la cabeza—. Mañana por la mañana venís con nosotros a buscar la bodega.
—Estoy pensando una cosa —dice Andrés—. Yo creo que los abuelos beben vino de aquí, ¿no, Juan?
—Sí, ¿y qué?
—Pues que me parece que el vino lo guardan en las bodegas que están a la salida del pueblo.
—Tienes razón.
—Entonces la bodega que buscamos no está en la casa.
—Puede ser. Lo que podemos hacer es preguntar a los abuelos dónde están esas bodegas.

Los perros acompañan a los chicos hasta la casa de sus abuelos. Juegan con ellos y no se quieren ir.

—A mí me da mucha pena dejarlos.
—Sí, pero su dueña los está esperando.

Capítulo 4

Primera noche en Paredes

1 Se despiden de los perros y cierran la puerta de la casa. La cena los espera. Sobre la mesa hay una tortilla de patata, una ensalada de tomate y lechuga, un plato de jamón y otro de queso. Los tres tienen mucha hambre. Los abuelos están con-
5 tentos de verlos comer.

—¿Qué tal el paseo?
—Bien, muy bien.
—Ya sabemos que sois amigos de los perros de María.
—¡Qué buenos y qué inteligentes son! —dice Rocío.

Andrés coge la botella de vino y sirve al abuelo.

—Gracias, hijo. Para vosotros no hay vino porque sois muy jóvenes —dice—, pero es vino de aquí, ¿eh? A la salida del pueblo, en el monte, tenemos bodegas.
—¿Ah, sí? ¿Y guardáis ahí el vino? —pregunta Juan con voz tranquila.
—Antes sí, todos, ahora, muy pocos. En el pueblo ya no vive mucha gente. Muchas bodegas están abandonadas.

Rocío mira a Andrés y este mira a Juan. Sonríen.

—Bueno, si estáis cansados, podéis ir a la cama, si queréis —dice la abuela.
—Claro que están cansados: el viaje, el aire del campo... Vais a dormir bien, ¿verdad, Cecilia?
—Sí, porque en esta casa se duerme muy bien.

Rocío entra primero a su habitación, espera un poco y va a la de los chicos.

—¿Qué hacemos mañana? —les pregunta.
—Pues mañana le pedimos a la abuela unos bocadillos y comemos en la bodega… —responde Juan.
—Si la encontramos… —interrumpe Andrés.

30 —Hombre, a ver[13]. Tenemos la llave. Y ella nos va a revelar muchos secretos —asegura Rocío.

—Por ejemplo, *¿dónde está la puerta, matarile, rile, rile*[14]*?* —canta Andrés riéndose.

—*¡A la salida del pueblo, matarile, rile, ra, chin, pon!* —canta

35 Juan riéndose también.

—Que sí, vais a ver cómo la encuentran *Bruno* y *Trisca*. ¡Ah!, y tenemos que llevar también comida para ellos.

—Claro, yo se lo digo a la abuela —dice Juan.

—¡Qué simpáticos son! —dice Rocío—. Yo quiero tener uno

40 también, pero más pequeño. Así lo llevo a todas partes.

Cuando se callan, se oye un silencio absoluto. Rocío habla la primera.

—¡Escuchad! Es la primera vez que oigo el silencio, ¿y vosotros?

45 —Es verdad, no se oye nada. Ni coches, ni gente por las calles. Nada —dice Juan.

Algunos minutos después los tres duermen profundamente.

---

[13] Expresión que se usa para expresar acuerdo.

[14] La canción original es: *¿Dónde están las llaves, matarile, rile, rile?*. Y la respuesta es: *En el fondo del mar, matarile, rile, ra, chin, pon.* Es una canción de niños muy popular en España. En este caso los chicos la adaptan a la situación.

Capítulo 5

Los tres, Bruno *y* Trisca *buscan la bodega*

El canto del gallo anuncia un día de primavera. 1

—¡Vaya!, ¿no se puede callar ese gallo? —protesta Juan.
—Es verdad, aquí en el campo no te dejan dormir —protesta también Andrés.
—Bueno, como ya estamos despiertos, ¿por qué no vamos a desayunar? 5
—Espera, voy a llamar a Rocío…

En toda la casa hay olor a café y… a otra cosa.

—¡Qué bueno! —dice Rocío.

10 Llegan a la cocina. La abuela los está esperando.

—Buenos días —saludan los tres al mismo tiempo.
—¿Qué tal la noche? ¿Queréis chocolate? —pregunta la abuela.
—¡El chocolate de la abuela Cecilia! ¡Bieeeen! —dice Juan
15 dándole un beso.
—¡Y además los *churros*[15] del abuelo!
—¡Hum! ¡Qué bien se come aquí! —dice Rocío.
—Y dormir, ¿cómo se duerme en el campo? —pregunta la abuela otra vez.

Los churros

20 Los niños se ríen y se miran.

—Es que el gallo… —empieza Juan.
—Al gallo le gusta cantar por la mañana cuando sale la luz. Pero es muy bonito, ¿verdad?
—Sí, sí, pero no deja dormir —responde Andrés.
25 —¿Y qué pensáis hacer hoy? —pregunta la abuela.
—Pues... pensamos comer en el campo, ¿puede ser, abuela? —pregunta Juan.
—Buena idea, hace buen tiempo…, entonces voy a preparar la comida y os la lleváis. Sí, sí, ya lo sé, pongo también para los
30 perros.

Después de desayunar, los chicos hacen sus camas y preparan sus mochilas.

---

[15] El chocolate con churros es un desayuno o una merienda típicamente españoles. El chocolate español o «a la taza» es espeso. Los churros son pasta frita de harina, agua y sal.

—¿Quién tiene la llave de la bodega? —pregunta Andrés.
—La tengo yo —dice Juan.
—¿Las linternas...? —pregunta Rocío. 35
—Sí, señorita —contesta Juan—. Están cargadas. Están al sol desde antes de desayunar.

Cuando los chicos salen, *Trisca* y *Bruno* ya están en la puerta esperando. Los perros se les suben encima. Dos señoras salen a la puerta de su casa y saludan a los chicos. 40

Se despiden de la abuela y se van. Juan dice a los perros:

—¡En marcha hacia el monte! Supongo que sabéis dónde está.
—Enséñales otra vez la llave. A ver si la olfatean y nos indican dónde está la bodega que buscamos —le dice Rocío.

Los perros corren delante. Enseñan el camino. 45

—¡Qué contentos están! —dice Rocío.

Los chicos llegan, por fin, a la casa abandonada.

—¿Qué? ¿Entramos en la casa? —pregunta Juan.
—No, no, mejor vamos al monte, a buscar la bodega —responde Andrés. 50
—Sí, pero ¿dónde está ese monte?
—Por allí se ve una colina.
—Tienes razón, Rocío.
—¿Vosotros creéis? —pregunta Juan, que tiene poco sentido de la orientación—. Mejor seguimos a los perros. 55

Poco a poco los chicos llegan a un pequeño monte. En un primer momento no ven nada especial. Siguen a los perros.

—Aquí no hay nada.
—Entonces tiene que haber otro monte.

60 Juan va a hacer una foto y nota que los perros están buscando algo en el suelo. Se acercan los tres y ven que hay unas puertas cubiertas por las hierbas.

—¡Estas son las bodegas! Están cerradas.
—A ver, ¿quién tiene esa llave mágica que va a abrir la
65 puerta?

Ponen la llave en una primera puerta y no se abre. Van hacia otra puerta. Los perros parecen entender lo que los chicos están buscando. Van de un sitio a otro. Todos están cansados.

70 —¿Hacemos una pausa y comemos? —pregunta Andrés.

Juan y Rocío están de acuerdo. Los tres se sientan en el suelo. Los perros también.

—Vamos a analizar la situación —dice Andrés con solemnidad—. ¿Qué sabemos?
75 —Que por aquí están las bodegas del pueblo —responde Rocío.
—Que tenemos una llave que puede abrir una de estas bodegas —continúa Juan.

—Y yo sé que en esa bodega vamos a encontrar…¡ un tesoro! —grita Rocío.
—De momento tenemos el «tesoro» de la abuela, vamos a ver —dice Andrés.

Un tesoro

80

Abren las mochilas y sacan la comida: *bocadillos de chorizo*[16], de queso, *croquetas*[17] y mucha fruta. Los perros mueven el rabo. Ellos también están contentos con el «tesoro» y comen todo lo que les dan los chicos.

85

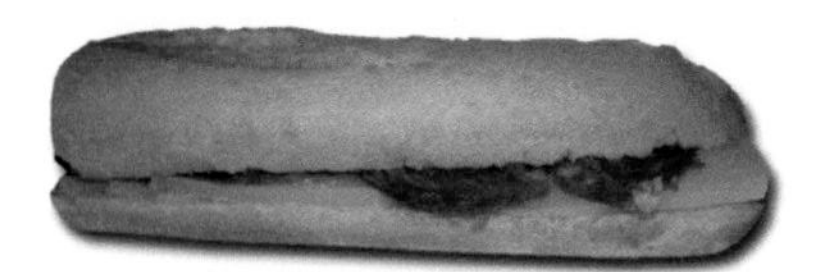
Bocadillo de chorizo

Croquetas

[16] El chorizo es un embutido muy típico español, de color rojo. Tiene carne de cerdo, tocino y pimentón.
[17] Las croquetas son bechamel con jamón, carne o pescado. Se pasan por huevo y pan rallado y se fríen.

Capítulo 6

¡La bodega al fin!

1 Después de comer empiezan a buscar de nuevo.

—Vamos, creo que es el momento de continuar —comenta Andrés.

Pero Juan y Rocío prefieren estar tranquilos un momento.
5 Andrés se va.

—¿Qué estás haciendo, Juan?
—Dibujar, como siempre. Ya sabes.
—Es verdad. Dibujas muy bien. Pero ¿esto qué es?
—Pues, no sé, creo que… la bodega.
10 —¿La bodega? Pero si es una cueva…
—¿Y?

—No, nada, ¿es la de Alí Babá?
—Sí, claro. Vamos a decir juntos *¡Ábrete, Sésamo!*[18] Y a ver qué pasa.
—Anda, tonto, ¿quieres escuchar esta canción?
—Vale.

Rocío le pone un auricular en el oído.

—Me encanta este grupo, ¿y a ti?

Juan no responde porque oye gritos. Es Andrés, los llama. No se entiende muy bien lo que dice.

—¿Dónde está? Yo no lo veo, ¿y tú, Rocío?
—Yo tampoco. Vamos a buscarlo.

Cogen las mochilas y suben hacia donde oyen los gritos.

—No sé lo que busca Andrés, porque la llave la tenemos nosotros —dice Juan.
—¿Y por qué no nos espera, digo yo?

En esto llega *Bruno* corriendo. Se pone delante, los mira, anda un poco y luego se para.

—¡Buen chico, *Bruno*! Vienes a buscarnos.
—A ver, perrito, llévanos con Andrés.

[18] «Alí Babá y los cuarenta ladrones» es uno de los cuentos de *Las mil y una noches*. Las palabras mágicas para abrir la cueva de los tesoros eran estas: *Ábrete, Sésamo*.

Los chicos lo siguen. *Bruno* los lleva en la buena dirección. Al fin ven a Andrés haciendo gestos con los brazos a la entrada de una bodega.

—Tío[19], ¿qué pasa?, ¿qué es esto?
35 —Pues una cueva. Con una puerta. Juan, la llave.
—A ver, a ver. ¡Síííí!

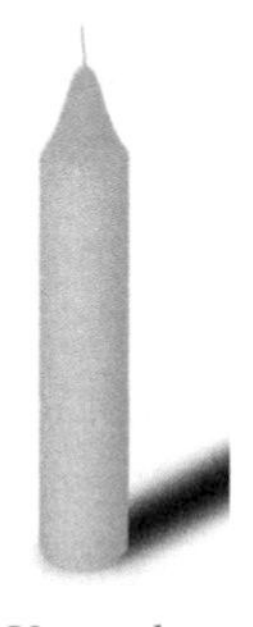
Una vela

Los tres entran. Todo está oscuro y abren mucho los ojos, sobre todo Juan y Rocío. En la entrada ven una mesa y unas sillas. En la mesa hay platos y
40 vasos. Hay velas por todas partes.

Nadie habla.

—Juan, enseña tu dibujo a Andrés, por favor —dice Rocío.
—¡No es posible! ¡Es esta cueva!
—Bueno, chicos, no sé, me pasa a veces, dibujo algo y luego
45 lo veo.
—Rocío y tú hacéis magia. ¡Qué imaginación tenéis!
—A ver —dice Rocío que está mirando por todas partes—, en esta bodega no hay ni una sola botella de vino y en ella vive gente.
50 —Ahora no vive nadie, Rocío —contesta Andrés.
—Ya, pero antes sí.
—¿Y qué?
—Que hay varios misterios, ¿no?
—A ver, di cuáles —pregunta Juan.

---

[19] Expresión muy coloquial para designar a un amigo o compañero.

—Por lo menos cuatro: ¿quién es esta gente?, ¿cuándo está aquí?, ¿por qué está aquí?, y ¿por qué se va?
—Cinco, son cinco misterios —sigue Andrés—, ¿por qué se van… tan rápidamente?
—¿Cuándo? Pues hace mucho porque todo está muy sucio. ¿Por qué? Pues no lo sabemos —dice Juan.
—Vamos a buscar los tres —dice Rocío y va hacia una de las paredes.
—Mirad, aquí en la pared hay un crucifijo.
—Y está al revés —Juan se acerca a Rocío.
—Anda, bájalo, por favor.

Juan lo baja y salen a verlo fuera de la cueva.

—¡Qué bonito! Tiene cuatro piedras preciosas.
—Estas piedras son falsas —dice Andrés.
—O no, ¡tú qué sabes! —responde Rocío.

Quieren seguir en la cueva, pero las linternas están ya descargadas y no ven bien.

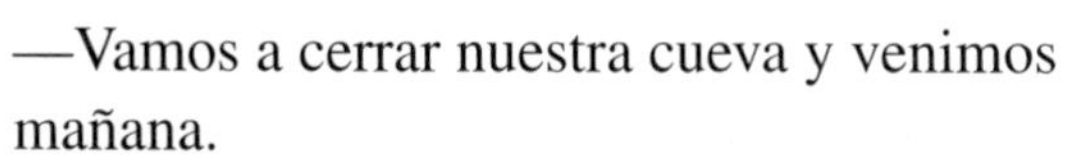
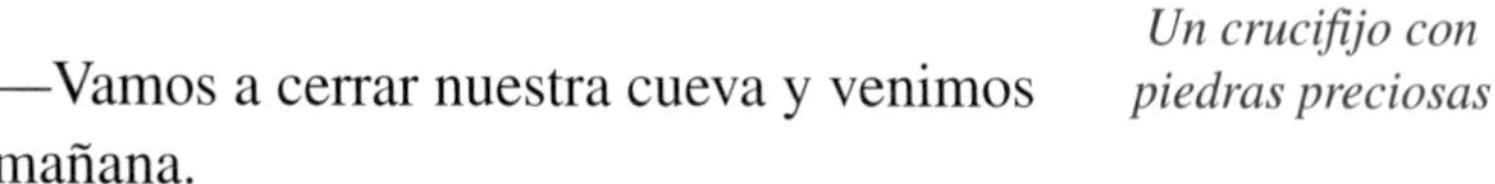
Un crucifijo con piedras preciosas

—Vamos a cerrar nuestra cueva y venimos mañana.
—Bueno, Andrés, pero nos llevamos el crucifijo, ¿no? —pregunta Rocío.
—Sí, si quieres.
—Y no les decimos ni una palabra de esto a los abuelos —afirma Juan.

Los tres están de acuerdo en guardar el secreto de su cueva.

Capítulo 7

Segunda visita a la bodega: más tesoros

1 Al día siguiente todos se levantan cuando canta el gallo. *Trisca* y *Bruno* también. Están felices y nerviosos. Tienen su propia cueva, su propia casa. Y además tienen un misterio que descubrir.

5 —Primero tenemos que limpiar la cueva —dice Andrés.
—Y poner en orden las cosas —advierte Rocío.
—¿Llevas el crucifijo? —pregunta Juan.
—Claro. Mira, los perros ya están delante de la cueva.

Entran, pero no usan las linternas. Tienen
10 cerillas y encienden unas velas. Les gusta su luz misteriosa.

Una cerilla

—¡Qué bonita es nuestra cueva!, ¿verdad? —dice Andrés.
—¡Y qué olor! Tiene un olor que me encanta —añade Rocío.
—Mirad, ahí parece que hay otra puerta.

Acercan las velas. Abren la puerta.

—¡Anda! Otra habitación.
—¡Con camas!
—Una, dos, tres y cuatro… —Juan las cuenta y exclama: ¡Para cuatro personas o más!

Una mesilla

Andrés abre un cajón de una mesilla y encuentra una foto. Es antigua y está un poco amarilla.

—¿Y esto…?
—Pues...

Acercan la luz. En la foto hay cinco chicos jóvenes.

—¿Lo veis? ¡Cinco! —grita Juan.
—Pues ya tenemos a los dueños de la cueva —dice Rocío.
—No son de aquí —asegura Andrés.
—Parecen de…, de Africa…, o no sé —duda Juan.
—No, latinoamericanos —afirma Andrés.
—No entiendo, ¡cómo pueden irse de aquí sin llevarse la foto, los muebles! —exclama Rocío.
—Con una foto va a ser muy fácil encontrarlos.
—¿Fácil? Pero, Juan, si es una foto muy antigua.
—Pues los abuelos seguro que saben quiénes son. En el pueblo todo el mundo se conoce.

En otro cajón Rocío encuentra una insignia.

—Y esto..., ¡pero si es una insignia del diablo! ¡Madre mía[20]!
—Tiene rabo, cuernos, un tenedor...
40 —describe Juan.
—Tridente, se llama tridente, como el del dios Neptuno —corrige Andrés.
—Señor sabio, me da igual tenedor o tridente, pero es algo misterioso, ¿o no
45 os parece misterioso? —pregunta Rocío con emoción.

Una insignia del diablo

—¿Por qué?
—Hombre, Andrés, porque ayer encontramos un crucifijo y ahora encontramos una insignia del demonio... —dice Juan y
50 sonríe a Rocío.
—Sí, y además el crucifijo lo encontramos al revés.
—Tenéis mucha imaginación: lo encontramos al revés y ya está —afirma Andrés.
—No, no, no, eso es una señal.
55 —¡Otra vez!
—¿Y esa mesa de ahí que tiene tres patas? —insiste Rocío.
—Pues tiene tres porque no tiene cuatro.
—Os digo yo —insiste Rocío— que estas personas tienen relación con el diablo.
60 —¿Te parece normal abandonar un lugar de esta manera? —pregunta Juan a su primo.
—Pues no —reconoce Andrés.

---

[20] Expresión que se usa para indicar sorpresa.

El aire apaga las velas. Los chicos tienen miedo. Salen corriendo hasta la puerta, la cierran y se van rápidamente. Los perros los siguen. No comprenden lo que pasa. 65

—¡Cómo nos mira *Trisca*! —dice Rocío.
—Sí, Andrés, la verdad es que somos poco valientes.
—Salimos de la cueva corriendo.
—La culpa es tuya, Rocío. Siempre estás hablando del diablo… —se disculpa Juan. 70
—Tranquilos, todo debe tener una explicación —dice Andrés.
—Sí, ahora llegamos a casa y se lo preguntamos a la abuela.

Cuando llegan a la casa la abuela está sentada en la puerta.

—¿Qué tal la excursión? 75
—Muy emocionante.
—Juan, tu padre dice que no llamas. Y tu madre lo mismo, Rocío.
—Luego llamamos, abuela.
—¿Estáis cansados? 80
—Un poco. ¿Sabes? —dice Andrés—. En el monte hay una bodega abierta.
—¿Ah, sí? Es posible. Muchas están abandonadas —comenta la abuela.
—Sí, y parece que ahí dentro vive gente, bueno, ahora no, pero antes sí. 85
—¿Qué estás diciendo, Juan? En las bodegas hay vino y no mucho. Vivir, no vive nadie —dice la abuela.
—¿Seguro?

90 —Seguro. En el pueblo nos conocemos todos. Y cuando llega alguien nuevo, lo sabemos.
—¡Por ahí viene el abuelo! ¡Qué bien, así cenamos ahora!

Esa noche también se juntan en la habitación de los chicos.

—¿Qué miras por la ventana, Rocío?
95 —pregunta Andrés.
—El cielo está muy bonito. Aquí las estrellas brillan más que en la ciudad.
—Mi padre se sabe todos los nombres de las estrellas —afirma con orgullo
100 Andrés.
—Oye, ¿vosotros tenéis una estrella? —pregunta Rocío.
—¿Qué quieres decir? —pregunta Juan.

Una estrella

105 —Pues que yo tengo una. Os la voy a enseñar. Mirad. ¿Veis la constelación de Orión?
—Sí, esa sí la conozco —dice Juan.
—Yo también, con sus tres estrellas Alnitak, Alnilam y Mintaka.
110 —¡Sabes mucho, Andrés! Bueno, pues mi estrella es Mintaka, me encanta su nombre.

Juan está un poco serio: «Andrés siempre lo sabe todo» —piensa.

—¿Sabéis una cosa? —dice—. Pues que tú y yo, Andrés, tam-
115 bién tenemos una estrella. Somos las otras dos, las de la letra A.

Todos se ríen. Rocío tiene otra idea.

—¡*Trisca* y *Bruno* también tienen! Porque mi padre dice que al lado de Orión están sus dos perros, Canis Maior y Canis Minor, ¿qué os parece?
—¡Pues que nosotros cinco somos una constelación!, ¿no? —responde Andrés.

Y se ríen de nuevo. Están contentos de ser amigos. Luego se ponen a hablar de su rápida salida de la cueva.

—A ver, Andrés, enséñanos la foto de la cueva —pide Juan.
—Fíjate, los cinco tienen cara de buenos —afirma Rocío.
—Claro, ¿por qué no van a ser buenos? —pregunta Andrés.
—¡Bueno, chicos, ahora a dormir! Mañana vamos de nuevo, a ver si encontramos alguna pista, yo tengo mucho sueño, ¿vosotros no? —dice Juan.
—Si queréis, mañana abrimos otras bodegas para ver si son iguales. O para ver si hay gente.

Capítulo 8

Más, *el gato detective*

1 Por la mañana se despiertan muy tarde.

—¿Y el gallo, abuela? ¿Hoy no canta? —pregunta Andrés en el desayuno.
—El gallo canta todos los días —responde la abuela.
5 —Pues entonces ya estamos acostumbrados al campo —dice Juan.
—Abuela, esta mañana vamos de nuevo al monte. Nos esperan los perros. ¿Vale? —pregunta Andrés.
—Vaaale. No sé lo que hay en ese monte, pero veo que os gusta
10 mucho.

Los chicos callan. Están decididos a ir allí y solucionar el misterio.

Esta vez los perros toman un camino distinto, pero más corto para llegar a la cueva.

—¡Estos perros son muy inteligentes! 15

Llegan delante de la puerta de la bodega y empiezan a ladrar. Los chicos se paran.

—Pero ¿qué os pasa? —dice Andrés.

Quieren entrar. Todos se callan y escuchan con atención. Se oye un ruido de algo que se mueve. 20

—Pueden ser ratas, como ayer —dice Juan.
—Vamos a hacer una cosa. Abrimos la puerta y dejamos entrar a los perros.

Bruno y *Trisca* ladran y corren hacia el ruido. Primero entra Andrés con la linterna en la mano, luego Rocío y Juan. 25

—Aquí no pasa nada. Y no hay nadie —dice Andrés.
—Todo está igual.

Encienden las velas y se sientan. Están más tranquilos y empiezan a decir tonterías.

—Seguro que son los demonios… 30
—De fiesta…
—O de…

En este momento se oye el mismo ruido.

Un gato

—Miau, miau.
—¡Anda![21] ¡Si es un gato!

Rocío toma el gatito en brazos. El pobre tiene miedo.

—¡Qué bonito es! —dice.
—Todavía tiene miedo —dice Juan—. Vamos a darle de comer y de beber, pobrecito.

Andrés ve que hay algo en el suelo y lo recoge.

—Es una carta —dice.
—Ábrela, Andrés.
—¡Dentro hay un plano! ¡Hay un plano y unos papeles!
—Es verdad. Es un plano y pone «Valladolid» —dice Rocío.

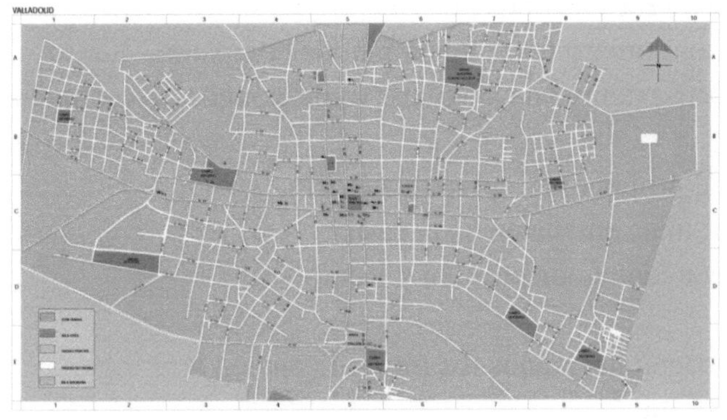
Plano de Valladolid

[21] Expresión que se usa para indicar sorpresa.

—Y estos papeles son… son cartas. A ver. No se leen bien.
—Hombre, este gatito es un buen detective. Sabe que buscamos algo y nos da pistas —dice Juan.
—Pues este gatito se viene con nosotros, ¿eh? —propone Rocío. 50
—Vale, ¿no, Andrés? ¿Cómo lo vamos a llamar?
—¡Ya está! Se llama *Más*. Viene con nosotros y es uno «más».
—Mirad, yo creo que el gatito es un enviado de…
—Del diablo, claro —interrumpe Andrés a Rocío. 55
—¡Qué tontos sois!
—Lo que si es verdad es que *Más* nos permite avanzar en el enigma —reflexiona Juan.
—Ya, pero ¿a qué casa va a ir?
—Pues a la mía —dice Rocío. 60
—Rocío, si tú quieres tener un perrito y no un gato —dice Juan.
—¿Yooo?
—¡Cómo que «yoooo»!
—Yo solo quiero tener un animal de compañía. 65
—Bueno, bueno, ya está bien. Yo propongo… —comenta Andrés.
—¿Qué propones? —pregunta Rocío.
—Pues una semana en cada casa.
—Buena idea —dicen Juan y Rocío.
70

Se cogen las manos los tres y dicen con aire solemne:

—Lo juramos.
—Pero… ¿qué van a decir nuestros padres?

—Mi madre —dice Andrés— va a estar muy contenta. Como trabaja en casa va a tener compañía. Y a mis hermanos les encantan los animales.

—Pues la mía —dice Juan— no sé qué va a decir.

—Pues yo creo que va a pensar —añade Rocío— que *Más* va a estar muy bien conmigo porque mi madre es veterinaria. ¡Qué suerte tiene *Más* de tener en casa a su veterinaria!

—Déjamelo a mí —dice Andrés—. ¡Qué pequeñito es! Es muy bonito. ¿Veis qué bien está conmigo?

—A ver, lo voy a examinar yo... —dice Juan.

Juan coge al gatito de las manos de Andrés. Le levanta el rabo.

—A ver si es gato o gata...

Lo mira con atención por detrás.

—Es una gatita. No tiene...

—Ja, ja, ja, tienes razón. Es una gatita.

—Ahora está mejor —dice Rocío con alegría—, somos dos chicos y dos chicas.

—¿Y *Trisca* y *Bruno*? ¡Somos tres chicos y tres chicas! —afirma Andrés.

—Ya, pero a ellos no nos los podemos llevar a Valladolid.

—Sí, ¡qué pena! Anda, vámonos ya.

Pero Juan se levanta y dice:

—¿Miramos si hay algo más en otro cajón?

—Yo creo que ya no hay nada más.

Pero Rocío mira otra vez y grita:

—¡Eh! ¡Aquí hay otro tesoro!

Rocío pone el contenido de la caja sobre la mesa y grita de nuevo:

—¡Dinero, dinero, somos ricos!

Monedas

Todos se inclinan sobre la mesa y ven muchas monedas.

—¡Qué suerte tenemos!

Juan colecciona monedas y las conoce. Sabe de qué país son.

—Hay pesetas y… no sé, sí, sí, son monedas de diferentes países de Hispanoamérica. Pesos mexicanos, argentinos...
—Ya veis, los «fugitivos»…
—¿Por qué los llamas «fugitivos», Andrés? —interrumpe Juan.
—Hombre, las personas que huyen son fugitivos, recuerda *El fugitivo,* la película de Harrison Ford, y estos…

120 —Sí, de acuerdo, sigue —interrumpe Juan.
—Pues nada, que estos fugitivos son latinoamericanos —afirma Andrés—. Para mí todo está claro: aquí hay cinco personas refugiadas que vienen a veces. Parece que no pueden estar mucho tiempo. Yo creo que, si estudiamos el plano, los vamos
125 a encontrar en Valladolid…
—Y si necesitan nuestra ayuda, pues los ayudamos —corta Rocío.
—Claro, luego les damos sus cosas y misión terminada —acaba Juan.

130 Están contentos por su aventura. Piensan que, en Valladolid, van a solucionar todo. Además, tienen un nuevo amigo, *Más*. Antes de irse, hacen fotos de la cueva y de todos los objetos. Se fotografían con los perros y con el gato.

Pero ¿qué pasa con la insignia del diablo? ¿Por qué son
135 «fugitivos»? …Otras sorpresas y aventuras esperan a nuestros amigos en el siguiente volumen: *La isla del diablo.*

GLOSARIO

Español	Francés	Inglés	Alemán
A			
abajo	en-bas	down(stairs)	unter
abandonar	abandonner	to give up	verlassen
abrazar	embrasser	to hug	umarmen
abrir	ouvrir	to open	öffnen
abuelo/a (el/la)	grand-père	grandfather	Großvater, Großmutter
acabar	terminer	to end/finish	enden, mitkommen
acercarse	s'approcher	to come closer	sich nähern
acompañar	accompagner	to go with	begleiten, mitkommen
acostumbrado	habitué	used to	gewohnt
acuerdo (el)	accord	agreement	Verständigung
adelante	devant	forward	vor
además	en plus	moreover	außerdem
advertir	prévenir	to warn	warnen, aufmerksam machen
afirmar	affirmer	to claim	befestigen
ágil	agil	agile	behend
agujero (el)	trou	hole	Loch
ahí	là	there	da
ahora	maintenant	now	jetzt
aire (el)	air	air	Luft
alegre	joyeux	happy	Lustig
alegría (la)	joie	happiness	Freude
algo	quelque chose	something	etwas
alguien	quelqu'un	someone	jemand
algún (alguno)	quelque	some/any	jemand
allí	là-bas	over there	da
alto/a	grand	tall	hoch, groß
amarillo/a	jaune	yellow	gelb
añadir	ajouter	to add	hinzufügen
analizar	analyser	to analyze	analysieren
años (¿cuántos años?)	Quel âge ?	years (how old)	wie alt?
antes (de)	avant	before	früher
antiguo/a	ancien	old/ancient	alt, antik
anunciar	annoncer	to announce	anzeigen
apagar	éteindre	to blow out (a candle)	ausmachen
apetito (el)	appétit	appetite	Eßlust
aquí	ici	here	hier
armario (el)	armoire	closet	Schrank
arriba	en haut	up(stairs)	oben
arte (el)	art	art	Kunst

aspecto (el)	aspect	appearance	Aussehen
auricular (el)	casque	earphone	Kopfhörer
avanzar	avancer	to move forward	vorrücken
aventura (la)	aventure	adventure	Abenteuer
ayer	hier	yesterday	gestern
ayudar	aider	to help	helfen
B			
bajar	descendre	to go down	herunterkommen
banco (el)	banque	bank	Bank
baño (cuarto de baño) (el)	salle de bain	bathroom	Bad, Badezimmer
beber	boire	to drink	trinken
beso (el)	bisou	kiss	Kuss
bienvenido/a	bienvenu	welcome	willkommen
biólogo/a	biologiste	biologist	Biologe
blanco/a	blanc	white	weiß
boca (la)	bouche	mouth	Mund
bocadillo (el)	sandwich	sandwich	belegtes Brötchen
bodega (la)	cave (vin)	wine cellar	Weinkeller
bolsillo (el)	poche	pocket	Hosentasche
bonito/a	joli / mignon	cute, pretty	hübsch, nett
botella (la)	bouteille	bottle	Flasche
brazo (el)	bras	arm	Arm
brillar	briller	to shine	glänzen
buscar	chercher	to look for	suchen
C			
caballo (el)	cheval	horse	Pferd
cabeza (la)	tête	head	Kopf
cada	chaque	every	jeder
caja (la)	boîte	box	Kiste
cajón (el)	tiroir	drawer	Schublade
calculador -a	calculateur	calculating	berechnend
callar	se taire	to be quiet	schweigen
calle (la)	rue	street	Straße
calor (el)	chaleur	heat	Hitze
cama (la)	lit	bed	Bett
cambiar	changer	to change	vertauschen, wechseln
camino (el)	chemin	path, way	Weg
campo (el)	champ/campagne	country (side)	Feld, Land
canción (la)	chanson	song	Lied
cansado/a	fatigué	tired	müde
cantar	chanter	to sing	singen
canto (el)	chant	crow (rooster's)	Gesang
cara (la)	visage	face	Gesicht
cargado/a	chargé	loaded	beladen
carretera (la)	route	road	Landstraße
carta (la)	lettre	letter	Brief
casa (la)	maison	house	Haus
cena (la)	dîner	diner	Abendessen

cenar	dîner	to have diner	zu Abend essen
cerca	près de...	next to	in der Nähe
cerilla (la)	allumette	match	Streichholz
cerrar	fermer	to close	schließen
chimenea (la)	cheminée	fireplace	Kamin
chuleta (la)	côtelette	chop	Kotelett
cielo (el)	ciel	sky	Himmel
cine (el)	cinéma	cinema	Kino
ciudad (la)	ville	city, town	Stadt
coche (el)	voiture	car	Auto
cocina (la)	cuisine	kitchen	Küche
coger	prendre	to take	nehmen
coleccionar	collectionner	to keep a collection of	sammeln
colina (la)	colline	hill	Hügel
color (el)	couleur	color	Farbe
comentar	commenter	to comment	erläutern
comer	manger	to eat	essen, zu Mittag essen
comida (la)	nourriture, repas	food, meal	Essen, Mittagsmahl
comprender	comprendre	to understand	verstehen
conducir	conduire	to drive, to lead	fahren, führen
conocer	connaître	to know	kennen
constelación (la)	constellation	constellation	Sternbild
contaminación (la)	contamination	contamination	Umweltverschmutzung
contenido (el)	contenu	content	Inhalt
contestar	répondre	to reply	antworten
continuar	continuer	to continue	fortsetzen
cordero (el)	agneau	lamb	Lamm
corregir	corriger	to correct	verbessern
correr	courir	to run	laufen
cortar	couper	to cut, to interrupt	schneiden, unterbrechen
creer	croire	to believe	glauben
crucifijo (el)	crucifix	crucifix	Kruzifix
cruz (la)	croix	cross	Kreuz
cruzar	traverser	to cross (over)	durchkreuzen
cubierto/a	couvert	covered	bedeckt
cuerno (el)	corne	horn	Horn
cueva (la)	grotte	cave	Höhle
culpa (tener la culpa)	faute (être de la faute...)	fault (to be one's fault)	Schuld, schuld sein an

D

dar	donner	to give	geben
debajo	sous	under	unter
deber	devoir	must	sollen, müssen
decidir	décider	to decide	entscheiden
decir	dire	to say	sagen
defenderse	se défendre	to defend oneself	sich durchsetzen
dejar	laisser	to let	lassen

deber	devoir	must	sollen, müssen
decidir	décider	to decide	entscheiden
decir	dire	to say	sagen
defenderse	se défendre	to defend oneself	sich durchsetzen
dejar	laisser	to let	lassen
delante	devant	in front of	vorn
delgado/a	maigre	thin, skinny	dünn
demonio (el)	démon	demon	Teufel
dentro	dans	inside	darin
desayunar	prendre le petit déjeuner	to have breakfast	frühstücken
desayuno (el)	petit déjeuner	breakfast	Frühstück
descargado/a	déchargé	discharged	aufgeladen
descubrir	découvrir	to discover	aufdecken
despertar	réveiller	to wake up	wecken, aufwachen
despedirse	dire au revoir	to say good bye	verabschieden
detrás	derrière	behind	hinten
día (el)	jour	day	Tag
diablo (el)	diable	devil	Teufel
dibujar	dessiner	to draw	zeichnen
dibujo (el)	dessin	drawing	Zeichnen
diente (el)	dent	tooth	Zahn
dinero (el)	argent	money	Geld
dios (el)	dieu	god	Gott
dirigir	diriger, s'adresser	to go towards	sich wenden
disculpar	excuser	to excuse	entschuldigen
diseñador -a	dessinateur	designer	Designer
dominar	dominer	to dominate	überblicken
dormir	dormir	to sleep	schlafen
duda (la)	doute	doubt	Zweifel
dueño/a	propriétaire	owner	Herr
E			
elegir	choisir	to choose	wählen
emoción (la)	émotion	emotion	Gemütsbewegung
emocionado/a	ému	moved	ergreifend
emocionante	émouvant	moving	ergreifend
empezar	commencer	to start	anfangen
en cambio	par contre	on the other hand	hingegen
encantar	enchanter	to enchant	gern gefallen
encender	allumer	to light	anmachen
encima	dessus	on top	oben
encontrar	trouver	to meet/find	finden
energía (la)	énergie	energy	Tatkraft
enigma (el)	egnime	enigma	Rätsel
ensalada (la)	salade	salad	Salat
enseñar	montrer	to show	zeigen
entender	comprendre	to understand	verstehen
entonces	alors/donc	then	damals
entrada (la)	entrée	entrance	Eingang

entrar	entrer	to come in	eingehen, eintreten
enviar	envoyer	to send	senden
escritorio (el) (ordenador)	bureau	desktop	Büro, shreibtisch
escuchar	écouter	to listen to	anhören
esperar	attendre	to wait for	warten
estación de tren (la)	gare	train station	Bahnhof
estilo (el)	style	style	Stil
estrecho/a	étroit	narrow	eng
estrella (la)	étoile	star	Stern
etiqueta (la)	étiquette	tag	Eikette
examinar	examiner	to examine	prüfen
excursión (la)	excursion	excursion	Ausflug
F			
fácil	facil	easy	einfach
falso/a	faux	wrong	falsch
familiar	familier	familiar	bekannt, familiär
fantasma (el)	fantôme	ghost	Trugbild
feliz/felices	heureux	happy	glücklich
fiesta (la)	fête	party	Fest
fijamente	fixement	fixedly	fix
fisioterapeuta (el/la)	physiothérapeute	physical therapist	physiotherapeut
foto (la)	photo	photo	Photo
fotografiar	photographier	to take photos	photografieren
frágil	fragil	fragile	gebrechlich
frenar	freiner	to brake	brensen
frío (el)	froid	cold	Kalt
frito/a	frit	fried	gebacken
fruta (la)	fruit	fruit	Obst
fuera	dehors/hors	outside	außen
fuerte	fort	strong	stark
G			
gallo (el)	coq	rooster	Hahn
gato/a (el/la)	chat	cat	Katze
gente (la)	gens	people	Leute
gesto (el)	geste	gesture	Geste
gritar	crier	to shout	schreien, rufen
grito (el)	cri	shout	Schrei, Ruf
guapo/a	beau	beautiful	hübsch
guardar	garder	to keep	wahren
guía (el/la)	guide	guide	Führer
H			
habitación (la)	chambre	(bed)room	Zimmer
hablar	parler	to speak	sprechen
hacia	vers	towards	gegen, nach
hambre (el)	faim	hunger	Hunger
hasta	jusqu'à	until	bis
hermano/a (el/la)	frère	brother, sister	Bruder, Schwester
hijos (los)	enfant	children	Sohn, Tochter

iglesia (la)	église	church	Kirche
igual	pareil	same	gleich
imaginativo/a	imaginatif	imaginative	einfallsreich
impresionante	impressionnant	impressive	beeindruckend
impulsivo/a	impulsif	impulsive	impulsiv
inclinar	incliner	to lean (over)	sich beugen
indicar	indiquer	to indicate	ausdrücken
insignia (la)	insigne	emblem	Abzeichen
insistir	insister	to insist	aufbestehen
instituto (el)	lycée	high school	Gymnasium
interesar	intéresser	to be interesting	interessiern
intervenir	intervenir	to intervene	eingreifen
ir	aller	to go	gehen
izquierda (la)	gauche	left	links
J			
jamón (el)	jambon	ham	Schinken
joven (el/la)	jeune	young	Jugendlicher
jugar	jouer	to play	spielen
juntar	réunir	to get together	versammeln
juntos	ensemble	together	zusammen
jurar	prêter serment	to swear	schwören
L			
lado (el)	côté	side	Seite
ladrar	aboyer	to bark	bellen
lavar	laver	to wash	waschen
lechuga (la)	laitue	lettuce	Kopfsalat
lejos	loin	far(away)	weit
levantar	lever	to get up	aufstehen
limpiar	nettoyer	to clean	putzen
linterna (la)	lampe de poche	lantern, flashlight	Laterne
llave (la)	clé	key	Schlüssel
llegar	arriver	to arrive	ankommen
llenar	remplir	to fill	ausfüllen
llevar	emporter/porter	to bring, to carry	tragen, bringen
luego	ensuite	then	nachher
luz (la)	lumière	light	Licht
M			
magia (la)	magie	magic	Zauberei
mágico/a	magique	magical	zauberhaft
mano (la)	main	hand	Hand
mesa (la)	table	table	Tisch
mesilla (la)	table de nuit	bedside table	Nachttisch
miedo (el)	peur	fear	Angst
mirar	regarder	to look at	schauen
misión (la)	mission	mission	Mission
mismo/a	même	same	selbst
misterio (el)	mystère	mystery	Geheimnis, Mysterium
misterioso/a	mystérieux	mysterious	geheimnisvoll
mochila (la)	sac à dos	backpack	Rucksack

moneda (la)	monnaie	change, currency	Münze, Geld
monte (el)	mont	mount	Berg
movimiento (el)	mouvement	movement	Bewegung
mueble (el)	meuble	piece of furniture	Möbel
mujer (la)	femme	woman	Frau
N			
nada	rien	nothing	nichts
nadie	personne	no one	niemand
nariz/narices (la/las)	nez	nose	Nase
naturaleza (la)	nature	nature	Natur
necesitar	avoir besoin de	to need	brauchen
negro/a	noir	black	schwarz
nervioso/a	nerveux	nervous	nervös
nieto/a (el/la)	petit-fils	grandson/ granddaughter	Enkel, Enkelin
ningún	aucun	none	kein
noche (la)	nuit	night	Nacht
numeroso/a	nombreux	numerous	zahlreich
O			
objeto (el)	objet	object	Objekt
ocuparse	s'occuper de	to take care of	sich beschäftigen
oído (el)	oreille	ear	Ohr
oír	entendre	to hear	hören
ojo (el)	oeil	eye	Auge
olfatear	flairer	to smell	riechen
olor (el)	odeur	smell	Geruch
orden (el)	ordre	order	Ordnung
ordenador (el)	ordinateur	computer	Computer
orgullo (el)	orgueil	pride	Stolz
orgulloso/a	orgueilleux	proud	stolz
orientación (la)	orientation	orientation	Orientierung
oscuro/a	obscure	dark	dunkel
otro/a	autre	other	ein anderer
P			
padres (los)	parents	parents	Eltern
país (el)	pays	country	Land
paisaje (el)	paysage	landscape	Landschaft
pan (el)	pain	bread	Brot
papel (el)	papier	paper	papier
parar	arrêter	to stop	anhalten, stoppen
parecer	ressembler/sembler	to look like	aussehen
pared (la)	mur	wall	Wand
pasar	passer	to spend (time)	übern
pasear	se promener	to take a walk	spazierengehen
paseo (el)	promenade	walk	Spaziergang
pasillo (el)	couloir	corridor	Korridor
pata (la)	patte	leg	Pfote
patata (la)	pomme de terre	potato	Kartoffel
pausa (la)	pause	break (pause)	Pause

pedir	demander	to ask	fordern, bestellen
película (la)	film	movie	Film
pena (la)	peine	sorrow	Leid, Schmerz
pensar	penser	to think	denken
pequeño/a	petit	little/small	klein
perder	perdre	to loose	verlieren
periódico (el)	journal	newspaper	Zeitung
permitir	permettre	to allow	erlauben
pertenecer	appartenir	to belong	gehören
pescar	pêcher	to fish	fischen
pie (el) (ir a)	pied (aller à...)	foot (to go on)	zu Fuß gehen
piedra (la)	pierre	stone	Stein
piscina (la)	piscine	swimming pool	Schwimmbad
pista (la)	piste	track	Spur
plano (el)	plan	map	Plan
plato (el)	assiette	plate	Teller
plaza (la)	place	square	Platz
pobre	pauvre	poor	Arm
poco/a	peu	little (few)	wenig
poder	pouvoir	can	können, dürfen
poner	mettre	to put	setzen, stellen
postre (el)	dessert	dessert	Nachtisch
preciosa (piedra)	précieuse (pierre)	precious (stone)	Edelstein
preferir	préférer	to prefer	vorziehen
preguntar	poser une question	to ask	fragen
primavera (la)	printemps	spring	Frühling
primo (el)	cousin	cousin	Vetter
profundamente	profondément	deeply	tief
propio/a	propre	own	eigen, selbst
proponer	proposer	to suggest	vorschlagen
protestar	protester	to protest	protestieren
pueblo (el)	village	village	Dorf
puerta (la)	porte	door	Tür
puntual (ser)	ponctuel	punctual	pünktlich
puro/a	pur	pure	rein
Q			
querer	vouloir/aimer	to want/ to love	wollen, mögen
queso (el)	fromage	cheese	Käse
quitar	enlever	to take off	nehmen, wegnehmen
R			
rabo (el)	queue	tail	Schwanz
rápidamente	rapidement	fast	schnell
rata (la)	rat	rat	Ratte
razón (tener la)	raison (avoir)	right (to be)	Recht, Recht haben
recoger	ramasser	to pick up	holen
reconocer	reconnaître	to recognize	erkennen
recordar	se rappeler	to remember	erinnern
reflexionar	réfléchir	to think (to reflect)	überlegen

refugiado/a	réfugié	refugee	Flüchtling
regalo (el)	cadeau	gift, present	Geschenk
reírse	rire	to laugh	lachen
relación (la)	relation	relationship	Beziehung
respirar	respirer	to breathe	atmen
responder	répondre	to answer	antworten
revelar	révéler	to reveal	verraten
revés (al)	à l'envers	upside down	umgekehrt
rico/a	riche	rich	reich
río (el)	rivière/fleuve	river	Fluss
ropa (la)	vêtement	clothes	Kleidung
ruido (el)	bruit	noise	Lärm

S

saber	savoir	to know	wissen
sabio/a	savant	wise	Weise
sacar	sortir	to take out	herausnehmen
salida (la)	sortie	exit	Ausgang
salir	partir	to leave, to get out	ausgehen, weggehen, aufbrechen
salud	santé	health	Gesundheit
saludar	dire bonjour	to greet	begrüßen
seguir	suivre	to follow	folgen, ~weiter
seguro/a	certain/ sûr	sure	sicher
señal (la)	indication	sign	Zeichen
sentarse	s'asseoir	to sit down	sich hinsetzen
sentido (el)	sens	sense	Sinn
sentir	sentir	to feel	fühlen
serio/a	sérieux	serious	ernst
servir	servir	to serve	einschenken
siempre	toujours	always	immer
siglo (el)	siècle	century	Jahrhundert
siguiente	suivant	next	nächste
silencio (el)	silence	silence	Ruhe, Stille
silla (la)	chaise	chair	Stuhl
simpático/a	sympathique	nice	sympathisch
sitio (el)	endroit	place	Platz, Ort
sobre	sur	on	auf
sol (el)	soleil	sun	Sonne
solemnidad (la)	solemnité	solemnity	Förmlichkeit
solo/a	seul	alone	allein
solucionar	résoudre	to solve	lösen
sonreír	sourire	to smile	lächeln
sopa (la)	soupe	soup	Suppe
sordo/a	sourd	deaf	taub
sorpresa (la)	surprise	surprise	Überraschung
subir	monter	to go up	steigen, hinaufsteigen
sucio/a	sale	dirty	schmutzig
suelo (el)	sol	floor	Boden
sueño (tener)	avoir sommeil	to be sleepy	müde sein

suerte (la)	chance	chance	Glück
suponer	supposer	to suppose	annehmen
T			
también	aussi	also	auch
tarde (llegar...)	arriver tard	late (to arrive)	spät (kommen)
tenedor (el)	fourchette	fork	Gabel
tener	avoir	to have	haben
tesoro (el)	trésor	treasure	Schatz
todavía	encore	still	noch
tomate (el)	tomate	tomato	Tomate
tontería (la)	bêtise	nonsense	Dummheit
tonto/a	bête	silly	dumm
traer	apporter	to bring	bringen
tranquilidad (la)	tranquillité	peace	Ruhe, Stille
tranquilizar	tranquilliser	to calm down	beruhigen
tren (el)	train	train	Zug
tridente (el)	trident	trident	Dreizack
triste	triste	sad	traurig
U			
usar	utiliser	to use	benutzen
V			
vacaciones (las)	vacances	holiday, vacation	Urlaub
valiente (el/la)	courageux	brave	tapfer
vela (la)	bougie	candle	Kerze
ventana (la)	fenêtre	window	Fenster
ver	voir	to see	sehen
verdad (la)	vérité	truth	Wahrheit
veterinario/a (el/la)	vétérinaire	veterinary	Tierarzt
vez/veces (la/las)	fois	time(s)	Mal
viaje (el)	voyage	trip	Reise
viejo/a	vieux	old	alt
vino (el)	vin	wine	Wein
vivir	vivre	to live	leben
volver	revenir/retourner	to go back	zurückgehen, umdrehen
voz (la)	voix	voice	Stimme
vuelta (dar la...)	faire le tour	to go around	kleinen Spaziergang machen

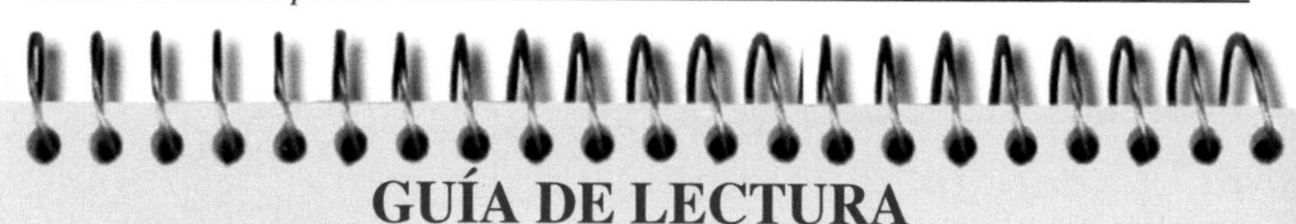

GUÍA DE LECTURA

Capítulo 1 *Vacaciones de Semana Santa: un viaje en tren*

Comprensión lectora
Contesta a las preguntas.
1. ¿Cómo se llaman los tres protagonistas del relato?
2. ¿De qué color va vestida la chica?
3. ¿A qué pueblo van de vacaciones?
4. ¿En qué época del año van de vacaciones?
5. ¿Qué lleva la chica en la mochila?
6. ¿Quién los espera en la estación de Palencia?

Usos de la lengua
1. *Todavía / ya.*
*Los abuelos son mayores, pero **todavía** trabajan.*
***Ya** llegamos a Palencia.*
Elige la opción correcta.
(Todavía, ya) llegamos a Palencia. > *Ya* llegamos a Palencia.
   a. Es muy tarde, (todavía, ya) no podemos ir a pescar.
   b. Podemos estar unas horas más porque (todavía, ya) es de día.
   c. ¡Mira, (todavía, ya) viene el abuelo!
   d. Nos quedamos (todavía, ya) algunos días en el pueblo.

2. Concordancia de género y número.
Sustituye: *mucho/a; muchos/as* por el artículo definido: *el, la, los, las.*
Mucha gente, mucho calor, muchos años, muchas cosas, muchas iglesias.
La gente, ...

Capítulo 2 *Llegada a Paredes de Monte: la casa de los abuelos*

Comprensión lectora
Contesta a las preguntas.
1. ¿Cómo van los chicos desde Palencia al pueblo?
2. ¿Cómo están muchas casas del pueblo?
3. ¿Cómo se llaman los abuelos?
4. ¿Cómo es la cocina?
5. ¿Come mucho Rocío?
6. ¿Por qué hay muchas habitaciones en casa de los abuelos?

Usos de la lengua

1. Busca en el texto la palabra contraria. Indica la línea.

Contenta > triste.

a. Abajo >
b. Pregunta >
c. Poco >
d. Menos >

2. Pon los verbos en primera persona del singular.

Hablan del paisaje > Hablo del paisaje.

a. Tú no comes nada.
b. Doña Cecilia abre las puertas de cada habitación.
c. Entran a la cocina.
d. Vosotros os laváis las manos.
e. Los chicos sonríen.

Capítulo 3 *¿Qué abre esta llave?*

Comprensión lectora

Contesta a las preguntas.

1. ¿Por qué la señora dice que los perros van a estar contentos con los chicos?
2. ¿Por qué los perros están nerviosos en la casa abandonada?
3. ¿Qué encuentran los chicos en la casa abandonada?
4. ¿Por qué los perros no se quedan con los chicos?
5. Pon otro título a este capítulo.

Usos de la lengua

1. Busca los imperativos que hay en este capítulo y escribe el infinitivo.

Oye > oír.

2. *Casi / nada.*

Elige la respuesta correcta.

Ya es (casi, nada) de noche. > Ya es casi de noche.

a. No queda (casi, nada) tiempo.
b. No me parece (casi, nada) complicado.
c. No tengo (casi, nada) de tiempo.
d. No me gusta (casi, nada) este disco.

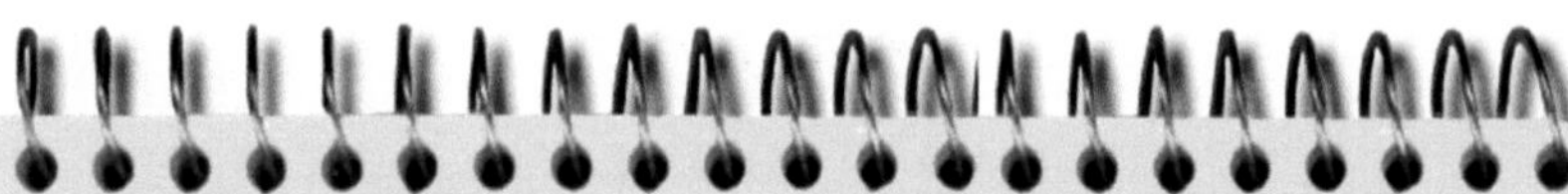

Capítulo 4 *Primera noche en Paredes*

Comprensión lectora

Marca la respuesta correcta.

1. ¿Qué cenan los chicos?
   a. Tortilla de patata. ☐
   b. Patatas fritas. ☐
   c. Sopa castellana. ☐
2. ¿Dónde están las bodegas?
   a. A la salida del pueblo. ☐
   b. En otro pueblo. ☐
   c. En las casas del pueblo. ☐
3. Al día siguiente, los chicos van a…
   a. …comer unos bocadillos en las bodegas. ☐
   b. …hacer una excursión a otro pueblo. ☐
   c. …pescar al río. ☐
4. Rocío quiere tener:
   a. Un perrito. ☐
   b. Un gato. ☐
   c. Otro animal. ☐

Usos de la lengua

1. Sustituye como en el ejemplo:

*(A los chicos) dan unos bocadillos. > **Les** dan unos bocadillos.*

a. Andrés (a Juan) da la linterna.
b. ¿(A Rocío) gustan los perros?
c. Los perros (a los chicos) indican el camino.
d. ¿(A Juan) lo digo?

2. *¡Qué simpáticos son!*

Busca en el capítulo otra expresión construida de la misma manera.

…………………

3. Forma el imperativo plural.

Escucha > escuchad.

a. Responde >
b. Oye >
c. Pregunta >
d. Mira >

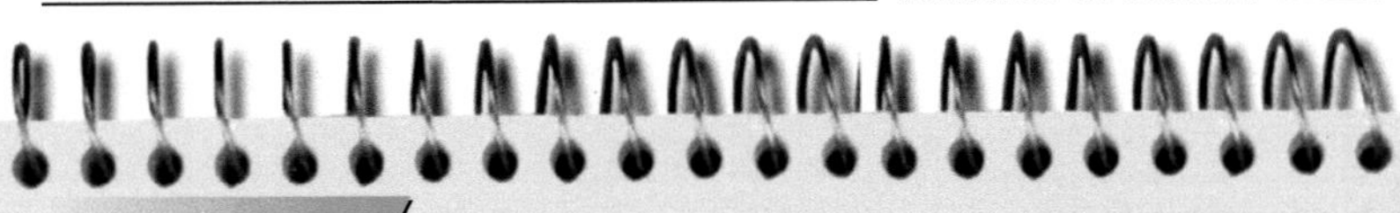

Capítulo 5 Los tres, Bruno y Trisca *buscan la bodega*

Comprensión lectora

Contesta a las preguntas.

1. ¿Qué despierta a los chicos?
2. ¿A qué huele cuando se levantan?
3. ¿Qué hacen los chicos después de desayunar?
4. ¿Quién los espera delante de la puerta?
5. ¿Quién tiene poco sentido de la orientación?
6. ¿Qué piensan encontrar los chicos en la bodega?

Usos de la lengua

1. *¿Dónde está la bodega?*

Ser o *estar.*

Elige la opción correcta.

¿Dónde (está, es) la bodega? > ¿Dónde está la bodega?

a. Las bodegas (son, están) cerradas.
b. ¿Sabes dónde (está, es) el monte?
c. Las linternas (son, están) cargadas.
d. Pensamos comer en el campo, ¿puede (ser, estar), abuela?
e. Ya (estamos, somos) despiertos.

2. *Aquí no hay nada. No ven nada especial.*

Contesta negativamente.

¿Aquí hay algo? > No, aquí no hay nada.

a. ¿Compras algo?
b. ¿Hay algo en la tele?
c. ¿Tienes algo para mí?
d. ¿Necesitas algo?
e. ¿Quieres tomar algo?

Capítulo 6 *¡La bodega al fin!*

Comprensión lectora

Contesta a las preguntas.

1. ¿Quién tiene la llave de la bodega?
2. ¿Qué hay en la entrada de la cueva?
3. ¿Qué otra cosa encuentran?
4. ¿Por qué no pueden buscar más cosas?

Verdadero o falso. **V F**

1. A Rocío le gusta mucho escuchar música. ☐ ☐
2. A Rocío le gusta mucho dibujar. ☐ ☐
3. A *Bruno* y a *Trisca* les gusta mucho correr. ☐ ☐
4. A los tres chicos les gusta estar tranquilos. ☐ ☐

Usos de la lengua

1. Completa las frases con *también / tampoco*.

a. Juan no va. Andrés…
b. A ti te gusta esta canción. A mí…
c. A él no le gusta el café. A mí…
d. Tengo miedo de ir solo. Yo…

2. Haz diminutivos como en los ejemplos.

perro > perrito, abuela > abuelita

a. Botella >
b. Pueblo >
c. Dibujo >
d. Mochila >

Capítulo 7 *Segunda visita a la bodega: más tesoros*

Comprensión lectora

Contesta a las preguntas.

1. ¿Qué hacen cuando entran de nuevo en la cueva?
2. ¿Cuántas habitaciones tiene la cueva?
3. ¿Quién hay en la foto?
4. ¿Qué encuentran en una mesilla?
5. ¿Qué otra cosa encuentran?
6. Por la noche, ¿qué hacen en la habitación de los chicos?

Usos de la lengua

1. Transforma la frase: expresa la obligación.

Limpiamos > Tenemos que limpiar

a. Enciendo la vela.
b. Abre un cajón.
c. Encuentran una insignia.
d. Usas la linterna.

2. Completa con *aquí / ahí.*

Aquí, en esta habitación, hay una puerta; ahí, en esa, hay otra.

a. ¡Ven ……, Trisca!
b. ……, en el piso de arriba, están las habitaciones, …… abajo, la cocina.
c. Mirad, …… cerca se ve una estrella y …… lejos se ve otra.
d. Ahora no nos vamos de …… sin la foto y la insignia.

Capítulo 8 Más, *el gato detective*

Comprensión lectora

Contesta a las preguntas.

1. ¿Se despiertan pronto los chicos?
2. ¿Quién entra primero en la cueva?
3. ¿Qué ruido oyen?
4. ¿Cómo llaman al gato?
5. ¿Qué cosas descubren también?
6. ¿Qué juran los tres?
7. ¿Qué piensan los chicos de todo lo que encuentran?

Verdadero o falso.

	V	F
1. El gallo los despierta todos los días.	☐	☐
2. *Más* es un gato.	☐	☐
3. En una caja encuentran dólares.	☐	☐
3. Los jóvenes de la foto son fugitivos.	☐	☐

Usos de la lengua

1. *Es muy tarde. Me gustan mucho los perros.*

Completa las frases con *muy / mucho.*

Te gusta (muy, mucho) la comida. > Te gusta mucho la comida.

a. Me gusta (muy, mucho).
b. Hay (muy, mucha) gente.
c. Esta historia está (muy, mucho) bien.
d. Este chico es (muy, mucho) inteligente.

2. Completa las frases con el verbo conjugado.

a. (Yo) (proponer) ir a la cueva.
b. *Más* nos (permitir) avanzar en el enigma.
c. Juan (intervenir) en la conversación.
d. ¿(Ver) (vosotros) qué bien está conmigo?

Continúa la aventura, y lee...

El secreto de la cueva
Primera edición: 2009
Primera reimpresión: 2009
Segunda edición: 2010

Autor: Alonso Santamarina
Dirección y coordinación editorial: Departamento de Edición de Edelsa
Diseño de cubierta: Departamento de Imagen de Edelsa
Maquetación: Estudio Grafimarque
Ilustraciones: Ángeles Peinador
Fotografías: Archivo Edelsa
Imprenta: Gráficas Rógar S.A.

ISBN: 978-84-7711-701-8
Depósito legal: M-43376-2010
Impreso en España /*Printed in Spain.*